처음과 끝

처음과 끝

발 행 | 2023년 11월 28일
저 자 | 윤시연
펴낸이 | 한건희
펴낸곳 | 주식회사 부크크
출판사등록 | 2014.07.15(제2014-16호)
주 소 | 서울특별시 금천구 가산디지털1로 119 SK트윈타워 A동 305호
전 화 | 1670-8316
이메일 | info@bookk.co.kr

ISBN | 979-11-410-5552-3

www.bookk.co.kr

처음과 끝

윤시연지음

CONTENT

처음과 끝

6학년

드디어 개학이다 방학때는 늦게 일어나서 개학때도 늦게 일어날까봐 걱정이 되서 전날 알람을 7시에 맞추고 잠을 잤다. 다음날 다행이 알람이 울리기전에 일어났다. 그래서 나는 샤워를 하고 옷을 입은 다음 밥을 먹었다. 밥을 먹고 나니

8시가 조금 넘었다. 그래서 가방을 확인했다. 가방에는 필통,파일,공책이있었다. 나는 8시15에 집을 나왔다.

등굣길에 내가 아는 언니를 만났다. 그래서 인사를 하고 가는데 같은반 친구들을 만났다. 친구 한명이 나한테 한말이 "어?키 많이 컸네"였다. 나는 기분이 좋았는데 나빴다. 그리고 학교 정문에 도착했을 때쯤 8시30분쯤 되고있었다. 그래서 나는 얼른 5층으로 올라가 교실에 가방을 두고 2층에 있는 방송실로 내려갔다.

방송실에 도착했을때 담당 선생님이 계셨다. 9시가 됐을 때 나는 떨리는 마음으로 방송 시작 안내 멘트를 천천히 말했다.

"교실에 안내말씀드립니다. 잠시후...."

개학식이 다 끝나고 방송부 친구들과 함께 교실로 갔다.

교실에 들어갔을 때 친구들이 나를 쳐다봐서 기분이 이상했다.

그리고 자리로 가서 앉았을때 선생님이 자기 소개를 하셨다. 방송부 친구가 이 선생님은 좋으신분이라고 했다. 자리에

앉아서 선생님의 얼굴을 보았을 때는 5학년 때 반에 자주

오셨던 선생님이셔서 낯설지는 않았다. 선생님이 호랑이

선생님이 아니여서 정말 다행이다. 선생님도 좋으시고

반배정도 나쁘지 않으니 6학년생활이 정말 기대된다

나는 자주적인생활을 하는 사람으로

참 괜찮은 사람입니다.

나는 참 괜찮은 사람 입니다. 내가 생각 하는 괜찮은 사람은

다양한 경험을   해본사람,누구에게나 친절하고 긍정적인

사람이라고 생각한다. 나는 그런 사람들이 친구들중에 몇명있다. 나는 그런 친구들이 더 있었으면 좋겠다. 그중에서 나는 자주적인 사람까지 팜 괜찮다고 생각 한다. 그래서 나는 자주적인 사람이 되기 위해 자주적인 생활을 한다. 그래서자주적인생활을 소개 해 보도록 하겠다.

첫번째 나의 자주적인 생활은 청결이다 나는 나 자신이 항상 청결했으면 좋겠다. 나는 엄마가 그만 씻으라고 할 정도로 매일매일 샤워를 한다. 나는 내 책상이 더러워 지는걸 보기 싫다. 그래서 내 책상에 지우개 가루가 보이는 즉시 지우개가루를 치운다. 그리고 북엔드도 가끔 닦으고 스펀지로 연필심 자국을 지우고 먼지도 물티슈로 다 치운다. 그리고 옛날에는 피규어들을 좋아해서 선반에 피규어들로 꽉 채워져있었다. 그래서 1주에 한번씩 피규어들을 다 내려놓고 먼지를 치운적도 있다. 근데 동생이 생겨서 피규어들을 다 상자에 보관해놓았다. 근데 좀 아쉬워서 책상에

키링2개정도를 걸어놓았다. 나는 아침에 일찍 일어나서 샤워를 한다. 그러면 더 상쾌한 아침을 맞아서이다.

두 번째 자주적인 생활은 준비물 챙기기이다. 나는 1학년 때부터 혼자서 스스로 준비물을 챙기고 가방도 혼자서 챙겼다. 사람들은 이렇게 당연한걸 말하는거지? 라고 생각할수도 있다. 하지만 나는 학교에서 준비물을 다챙겨온것을 확인하면 기분이 너무 좋다. 물론 자주적인 생활이라고 보기는 어렵겠지만 이게 습관이 되었다면 자주적인 생활이라고 할수 있을것 같다. 물론 준비물을 빠뜨릴때도 있지만 그래도 준비물을 빠짐없이 챙기는것이 습관이 되어서 준비물을 빠뜨리는 일이 줄어들었다.

세번째는 아침에 스스로 일어나는것이다, 저학년때는 엄마가 깨우는것이 익숙했는데 고학년이 되니 알람을 맞추고 일어나는 나를 발견했다. 학교를 가는 5일중 1번정도는 몇분 늦게 일어나지만 그래도 이제는 엄마가깨우는일이 줄어들었다. 아침에 일찍일어나면 피곤하지만 베란다에나가서 상쾌하고 차가운공기를 들이마시며 기지개를 쭉 피면 극락이다. 그러고 학교에 가는데 학교에서에너지를 70%이상을 소비하고 오는데 학교에 다녀오기만하면 몸이 축 늘어지면서 저절로 침대를 찾아가게 된다. 밤이 되면 알람을 맞추는데 엄마가 들어와서 핸드폰 빨리 내려놓고 자라고 한다. 그래서 나는 엄마가 들어오기전에 알람을 빨리 맞추고 잔다. 근데 개학전에는 오전이 아닌 오후 7시로 알람을 맞춰서 지각할뻔했다.

나는 내가 자주적인 생활을 하기 위해 노력하는 내 모습이 정말 대단하다고 느낀다. 하지만 아직 부족한 부분도 많아서 열심히 노력해야겠다. 그리고 사람들에게 잘보여서 좋은 이미지로 남고싶다. 내가 참 괜찮다고 느끼는 사람들의 특징은 자주적인 생활을 하고 긍적적이고 친절하고 다양한 경험을 해본사람이라고 생각하지만 이 4가지를 모두 가지고 있는 사람을 없겠지만 2개 이상인친구를 사귀고싶다.

내가 죽기전 가장 후회할것

내가 만약 죽기전에 후회를 하면 이 3가지를 후회할것같다.

첫번째 가족에게 더 잘할걸이라는 후회를 할것같다. 나는 평소에 엄마 말을 잘 듣지 않는다. 나는 그게 가장 큰 후회일것같다. 그리고 나는 엄마에게 요구를 많이 하는데 최근에 엄마에게 반팔티를 사달라고 했다. 엄마는 다음주에 월급이 들어온다고 다음주에 가자고 하셨다. 나는 그때 엄마께 너무너무 죄송했다. 다음은 아빠 이다. 아빠는 일찍 일어나셔서 아침 식사도 잘 하시지 못하시고 출근 하시는데 어렸을 때는 아빠가 힘드신것도 모르고 아빠한테 놀아달라고 아빠를 오히려 더 괴롭혔던것같다. 근데 아빠와 같이 놀고 싶고 좋은 시간을 보내고 싶은건 사실이다. 그다음은 오빠이다. 나는 오빠와 평소에 많이 싸운다. 어제는 귀찮게해서 싸웠고 오늘은 귀에 휘파람을 불어서 싸웠다. 근데 오빠랑 게임을 같이 할때 즐겁고 같이 말장난하는것도 재미있어서 오빠는 없어서 안되는 존재이다. 다음은 동생이다. 동생은 평소에 자주 싸우고 서로 노려보기도 하지만 속으로는 사랑하는 소중한 내 가족중 하나이기 때문에 더 소중하게 대해줘야겠다.

두번째는 내 삶을 책임감 있게 살아가지 못하면 후회할것 같다. 그래서 나는 건강 관리를 하기 위해 운동도 열심히 하고 있다. 다음은 공부이다. 나는 공부를 잘 못한다. 특히 수학,사회,국어,영어...그냥 다 못한다. 그래서 나는 좋아하는 과목이 계산하지 않고 내가 취미로

가장 즐기는 미술이다. 미술에도 물론 수학적인 계산(물감비율등)과학적인 현상이 포함이 되지만 수학적인 계산과 과학적 현상이 들어가지 않아도 미술 작품을 만들수 있기에 나는 미술이 너무 좋다

다음은 비속어를 사용한것이다나는 감정이 욱 하지 않는이상 욕을 잘 쓰지는 않는다 그래도 욕을 한적이 있기에 나를 차음본 사람이 내가 욕하는걸 둘었을따 첫인상로 좋지 않을것같아서 최대한 비속어와 욕을 사용하지 않으려고

노력중이다.

 다음은 나의 취미를 더 찾아보는 것이다.나는 한가지만 하다보면 쉽게 질려수 포기하는 경우가 많은대 취미가 많으면 한가지를 하다가 질리면 다른 취미를 즐기고 또 그취미가 질리면 다른취미를 즐길수 있어좋을것같다.

 마지막 3번째는 나의 반려묘인 마루와 호두에게 더 잘해주고 간식도 잘 주고 놀아주는것 이다.처음 마루를 구조해왔을따 엄마와 약속을 했다.하지만 점점시간이 갈수롣 마루를 잘 관리해주지도 않고 핑계를 댜면서 엄마가 결국엔 마루와 호두를 관리하게되었다.그래서 간식도 잘 주지 않고 놀아주지도 않아서 호두와 마루가 속상할것같다는 생각이 이 글을 쓰면서 들었다. 특히 동물들은 사람보다 수명이 짧은데 너무미안하다 그래서 앞으로 더 잘해주고 간식도 잘 주고 하면수 죽을때까지 행복하고 건강하고 즐겁게 지냈으면 좋겠다. 지금 물려서 생긴 흉터들이 내가 호두와 마루의 주인이었다.라는 표시가 되지 않을까 싶다.

내가 죽우면 후회할것같은 것은 이렇게 3가지 이다. 3가지 말고도 더 있지만 이 3가지가 가장 후회될것같다.

6학년 첫 현장체험 학습

처음 4월 12일은 잡월드로 현장 체험학습을 가는 날이다 아침에 일어나자 못 할까봐 걱정이 되어서 채윤이에게 도닝콜을 6시 40분에 해달라고 부탁을 하였다. 다음날 너무 설레서 잠을 제대로 자지 못했다. 일어난 시간은 6시 10분정도 쯤에 "일어났다. 근데 너무 졸려서 베란다에 나가서 고양이와 선선한 바람을 맞으며 5분정도 놀 았다 너무 일찍 일어나서 할것이 없어서 심심했다. 그래서 의자에 앉아 친구들에게 톡을 했다. 그러다 보니 시간이 빨리 갔다 그래서 옷을 입고 밥을 먹을 시간이 없어서 헤드셋을 끼고 밖으로 뛰쳐나갔다.

나는 7시 40분까지 친구들과 아이아이에서 만나기로 하면서 아이아이에 도착했다. 그리 고 둘과 마시멜로 3개를 샀다. 그리고 교실에 도착을 했다 교실에 들어가니 주영빈이 하트모양 썬글라스를 쓰 고 있어서 친구들이 너도 나도 써보겠다고 했다. 그때 선생님이 들어오셨는데 다급한 목소리로 빨리앉아 보라고 하셨다. 그래서 우리는 빠르게 앉았다 근데 이우준, 이시아, 박지윤이 오지 않았다. 그래서 4분정도 기다리니 시아와 지윤이가 왔다. 근데 이유준은 오지 않았다. 그래서 어쩔수 없이 줄을 섰는데 이유준이 그제서야 왔다. 그래서 얼른 내려가서 버스에 탔다. 근데 심심해서 노래를 들었다. 근데 지루해서 친구들이 하는 얘기를 같이 들었다. 그러다보니 벌써 도착을 했다.

고기, 달걀 레스토랑에는 의외로 우리학교 친구들이 많았다. 그래서 나는 우리학교 친구와 짝을 했다. 음식에 쓰이는 고기 등등 육류들의 품질을 보는 방법을 배웠다. 설명을 다 들은다음 페드로도 퀴즈를 끌었다. 키자니아와 비슷할줄 알았는데 전혀 다른 느낌이었다. 다음으로는 직접 요리를 하는 거였는데 우리는 바베큐폭찹을 만들었다. 첫번째로 야채들을 썰고 고기간을 한다운 소스를 만들고 마지막에는 다같이 섞었다. 그리고 용 기에 담아 2층으로 내려가 점심을 먹는데 참치 마요(?) 덮밥이 나왔는데 양도 많고 느끼해서 남겼다. 우리는

잡월드에 들어가보니 사람들이 굉장히 많고 건물이 굉장히 컸다. 첫번째로는 단체로 하는 것이 있었는데 그래 직업 0.x

퀴즈였다 문제를 풀고 카드로 쓰기도 했는데 별로 재미가 없었다. 첫번째 수업이 끝나고 나는 모둠친구들과같이 레스토랑직업체험에 갔다.

밥을 먹고 친구들을 따라가 미니스톱에 갔다. 근데 사람이 너무 많아서 3층으로 갔다. 그래서 앉아서 쉬고 있는데 시간이 거의 다 되서 2층으로 빨리 내려갔다. 그리고 바리스타를 체험하러 갔다. 바티스타를 하기전에 시간이 남아서 사진을 찍었다. 시간이 다 되서 길쭉한 탁자? 같은 곳에 앉아 수업을 듣고 실습을 했다. 나랑 시연이는 카페모카를 만들고 채윤이는 카라멜 마끼야또를 만들기로 했다. 첫번째로 초 코 시럽을 컵에 담았다. 그 다음은 에소프레소를 만든다. 에소프레소를 만들때는 첫번째로 원두를 갈고 컵 같은 곳에 원두를 갈아 에소프레소를 만들어 시럽이 든 컵에 에소프레소를 넣는다 마음은 우유, 우유거품 순으로 넣는다. 그리고 그 위에 시럽으로 그림을 그리는데 나는 고양이를 그렸다. 근데 좀 망했다. 체험이 끝나고 친구들과 모여 버스에 탔다. 나는 너무 피곤해서 지브 리 스튜디오 ost를 들으면서 잠에 들었는데 눈깜박하니 벌써 우리학교에 도착해 있었다 나는 얼른 내 했다. 나는 집에 와서 오늘 있었던 일을 다나 이야기 했다 그러다보니 기분이 점점더 좋아졌다.

잡월드에 가보니여러가지 체험을할수있어 좋았다. 그리고 친구들도 좋아하는 것 같아 나도 덩달아 좋았다. 그리고 친구들과카페를 차리고 싶다는 생각이있었다.

긍정하는말 고운말을 쓰자

우리반은 국어시간에 우리말 사용실태 조사를 하였다. 그 결과 외국어 약 300번 사용 중임말 약 200번 나무 욕실비소리 약 300번사용 배려하는말 약 190번 사용 긍정하는달 약 180번

올바른 우리말 (순 우리말) 약 500번 사용으로 긍정하는 말중 올바른 우리말 사용이 가장 많았고 부정적인 말 중에서는 욕설이나 비속어 사용이 가장 많았다. 긍정하는 말 사용을 10번 사용하여 뇌가 10%중 5%를 자극한다면 비속어·욕설을 1번하였을때 10% 중 10%를 자극한다는 연구결과도 있다.

그러므로 우리는 긍정적인 말들을 사용해야 한다.우리는 긍정하는 말을 들으면 말하는 사람과 듣는 사람의 기분이 좋아지기 때 문이다.

긍정하는 말들중 할수있어. 괜찮아, 멋있어 보여, 힘내자등등 이런 말

들을 들으면 기분이 좋아진다 반대로 안돼, 짜증나, 망했어, 힘들어등등 이런 부정적

인 말들을 들으면 기분이 나빠진다.내가 만약 친구와 부딪혔다고 가정을 했을 때 2가지 반응이 나올것이다.

"야 년 눈도 없냐? 똑바로 보고 다녀"라는 부정적인 말과

"미안해 내가 앞으론 조심할게"

라는 긍정적인 말이 나올것이라고 예상된다. 그렇다면 위 틴 어떤말을 들으면 기분이 좋아할까? 바로 긍정적인 말이다. 그러므로 우린 긍정적인 말을 써야 한다.

부정적인 말을 말을 사용하면 부정적인 말이 우리 몸에 큰 영향을 끼

친다우리몸은 70%가 돌로 되어있는데 한 연구원이 한물은 긍정적인 말을 들려주었고 또다른 물에게는 부정적인 말들을 들려주었다. 그러곤 현미경으로 관찰하였을 때 부정적인 말을 들려준 물은 엉뚱한 둘 결정체가 나왔고 긍정적인 말을 들려준 물은 아름답고 예쁜 결정체가 생겼다. 그러므로 우리는 긍정적인 말을 해야하다.

욕설, 비속어를사용하면 순우리말이 훼손된다. 욕설을 사용하면 어휘력이낮아진더 그이유는 기쁜 일이 일상상활을

하하면서 욕설밖에 생각나지 않을것이고 너무 많이 쓰면

순우리말이 훼손이 될것이다.

　우리는 욕설.비속어 사용과 부정적인 말을 줄여 우리의정신

건강과

진로 체험

오늘 진로체험이 있었다. 많은 직업중 나는 조향사,
플로리스트, 요리사, 쇼콜라티에를 신청했다. 나는 요리사
보다 반려 동물 훈련사를 더 하고싶었지만 하지 못했다.

아쉬웠다. 1교시당 1직업체험을 했는데 1교시 조향사, 2교시 플로리스트, 3교시 요리사, 4교시 쇼콜라티에를 했다.

1교시는 조향사이다. 조향사는 향을 만드는 일을 하는 직업이다

조향사 직업의 장단점은 향을 만들어서 강점하고 단점도 향을 만들어서 단점이라고 하셨다. 향을 만들때 원액을 이용하여 향을 만들기 때문에 향이 진하다는 이 이유로 장점과 단점을 말하면 냄새. 향기는 사람의 기분에 영향을 미치고 향이 진하기 때문에 머리가 아프고 후각이 만드는것이 단점이다.

향은 5개가 있었는데 1번은 청포도향 2번은 샤넬 향수 향 3번은 베이비 파우더향 4번은 러브스펠링 5번 은 자몽향 이었다. 나는 청포도향과 자몽향을 섞어서 과일향을 만들었다. 정말 기분이 좋은 달달구리 한 사항이 났다. 여기에 나무길이 생긴   돌을   넣어   섞은뒤   그물망에

넣어방향제비슷한것을들었다. 향이 다 빠지면 내가 좋아하는 향의 향수를 뿌리면 그 향이 난다고 하셨다.

2교시는플로리스트이다.플로리스트는 꽃꽂이, 꽃다발등 꽃에 관한 작업이다. 나는 이중에서 오늘 카네이션 꽃다발을 만들었다. 먼저 꽃에 있는 잎들을 다 떼어 내준 뒤 꽃잎을 꽃받침을 살짝씩 눌러꽃잎을 펴 주었다.꽃잎을 피고나니 나름예뻤다. 그 다른 옆에 풀을 붙여서 종이로 감싼 다음 철사로 고정시키고 리본을 들어 완성시켰다. 완성 시키고 나니 너무 예뻤다. 흰색 카네이션 이어서 더 예뻐보였다.

3교시는 요리사였다.요리사는 자격증이 꼭 있어야 할수 있는 직업이 아니었다. 자격증이 없어도 할수있다 요리사 진로체험에서는 센드위치를 만들었다. 예시에는 곰돌이 와 스폰지 밥이 있었다 나는 공룡모양을 만들었다. · 먼저 눈을 만들어 붙이고 입을 만들어 햄을 넣고 윗부분 방을 판다음 옥수수와 마요네즈를 넣었다.

마지막 4교시 쇼콜라티에라는 직업을 했다. 쇼콜라티에는 초콜렛을 만드는 직업이다. 초콜렛을 녹일때 시간이 좀 걸려서 이런저런이야기를 했는데 평소 친구들과 이야기할때보다 재미있었다.먼저 초콜렛을 만들때 초콜릿을 잘게 부순 뒤 뜨거운 물위에 그릇을 올려놓고 그 그릇에 잘게 부순 초콜릿을 올려 녹인다 이걸 중탕이라고 한다. 그다음 녹은 초콜릿을짤주머니에 넣고 작은 유산지 캡에 넣어주고 크런키 쿠키를 위에 뿌려장식해주면 완성이다.

오늘이걸 직업으로 해보고싶다라는 생각이 든 직업은 조향사 밖에 없었다. 하지만 다른직업들도 해보고싶다는 생각이 들었지만 조향사직업 이걸직업으로 해보고싶다는 생각이 강하게 들었다.

학교 실내 규칙을 잘 지키자.

요즘 복도 통행문제와 엘리베이터 사용. 복도에서 떠드는등
많은 사고와 문제가 발생하고 있 다 이런 문제로 많은
학생들이 피해보고있다. 걷고있는 친구와 뛰는친구가 부대쳐
뇌진탕, 골절 등의 부상을 당할 수 있고 엘리베이터를

타야하는 사람이 엘리베이터 사용을 하지 않아도 되는 사람 이

이용하여 피해가 갈수있다. 또 복도에서 시끄럽게 떠들어

수업이 끝나지 않은 친구들에게 피해 가 갈수있다. 그런

우리는 이문제를 어떻게 해결할 수 있을 까? 바로 실내 규칙을

잘 지키는 것이다. 규칙은

피해가 가지 않게 하기 위해 만들어진 것이다. 우리가 이

규칙을 지키면 사고가 나지 않는다. 그럼 피해자도 나오지

않을 것이다. 그러므로 실내 규칙을 잘 지켜야 한다. 첫번째

2019년에는 염좌, 뇌진탕 사고가 있었고 2020년에는

이미열상으로 봉합, 2021년과 2022년에 는 타박상, 골절 등의

사고가 있었다. 이 사고들은 대부분 뛰어다녀서 일어난 일

이라고 했다. 그러므로 우린 복도에서 걸어다녀야 한다. 그

이유는 무엇보다 사고가 날 확률이 높기 때문이다. 특히

안경쓴 친구와 부디치던 옴보다는 눈.코등 얼굴을 많이

다칠것이다. 심하게 다친다면 실명할수도 있습니다 그리고

우측통행을 하면서 앞에 있는 친구와 부디칠수 있기에

우리모두 뛰지말고 걷자. 뛰어도

　두번째는 엘리베이터 사용에 문제가 있다. 왜냐하면

엘리베이터 사용이 필요하지 않은 친구들이 엘리베이터

이것이 문제가 되는 이유는 엘리베이터 사용이 필요없는

친구들이 엘리베이터 사용을 를 사용하기 때문이다. 하게 되면

엘리베이터를 사용해야하는 사용해야하는 사람이 엘리베이터

사용을 하지 엘리베이터 사용을 한번하면 약 **300wh**가

이용된다. 엘리베이터를 사용할수 있는 사람은 다리를 다친

사람 못하기 때문이다. 그리고

　또는 선생님의 신부를 등을 맡은 사람이 이용을 할수 있다.

　세번째는 보도 정숙문제이다. 복도에서 시끄럽게 떠들게

되면 수입이 끝나지 않은 선수들이 수입 중인 친구들에게

방해가 될수있다. 수업도중 다른친구들이 나와서 시끄럽게

아직수업중인 친구 시끄럽게 떠드는 들이 친구들로 인해

피해가 갈수있다. 그이유는 선생님은 1명이고 학생 그러므로 선생님보다 명수가 많다. 소리를 들은 지르거나 시끄럽게 떠들면 선생님 들리지 않을수있다. 그러므로 독소리가 우리는 떠들면 바에 의 선생님의 목소리가 복도에서 감수하여 다른 신에게 피해주지 않아야 한다.

네번째 교실에서 심한 장난을 치지 말자 교실은 특히 더 위험하다. 그 이유는 책상, 사물함 교실 모서리도 많고 손이 찌일수있는 것도 있기 때문이다. 피부가 찢어질수 있기 그러므로 넘어지다 부디치면 때문이다 가방문을 꼭 닫고그리고 교실 문을 닫을 때는 문을 교실에선 지 말자 들어오거나 나가는 사람이 있는지 꼭 확인하고 자 왜냐하면 그리 우리모두 복도에서 안전수칙을 꼭 지키고 사건 사고를 줄이자. 사물함 문을 확 닫아버리면 친구의 손, 손가락, 발이다칠수 있기 때문입니다. 꼭 확인인을하고 닫아야 한다.

교실에서도 규칙을 꼭지켜 사고를 줄이자

내가 죽기전 가장 후회할것

내가 만약 죽기전에 후회를 하면 이 3가지를 후회할것같다.

첫번째 가족에게 더 잘할걸이라는 후회를 할것같다. 나는 평소에 엄마 말을 잘 듣지 않는다. 나는 그게 가장 큰 후회일것같다. 그리고 나는 엄마에게 요구를 많이 하는데 최근에 엄마에게 반팔티를 사달라고 했다. 엄마는 다음주에 월급이 들어온다고 다음주에 가자고 하셨다. 나는 그때 엄마께 너무너무 죄송했다. 다음은 아빠 이다. 아빠는 일찍 일어나셔서 아침 식사도 잘 하시지 못하시고 출근 하시는데 어렸을 때는 아빠가 힘드신것도 모르고 아빠한테 놀아달라고 아빠를 오히려 더 괴롭혔던것같다. 근데 아빠와 같이 놀고 싶고 좋은 시간을 보내고 싶은건 사실이다. 그다음은 오빠이다. 나는 오빠와 평소에 많이 싸운다. 어제는 귀찮게해서 싸웠고 오늘은 귀에 휘파람을 불어서 싸웠다. 근데 오빠랑 게임을 같이 할때 즐겁고 같이 말장난하는것도 재미있어서 오빠는 없어서 안되는 존재이다. 다음은 동생이다. 동생은 평소에 자주 싸우고 서로 노려보기도 하지만 속으로는 사랑하는 소중한 내 가족중 하나이기 때문에 더 소중하게 대해줘야겠다.

두번째는 내 삶을 책임감 있게 살아가지 못하면 후회할것같다. 그래서 나는 건강 관리를 하기 위해 운동도 열심히 하고 있다. 다음은 공부이다. 나는 공부를 잘 못한다. 특히 수학,사회,국어,영어...그냥 다 못한다. 그래서 나는 좋아하는 과목이 계산하지 않고 내가 취미로 가장 즐기는 미술이다. 미술에도 물론 수학적인 계산(물감비율등)과학적인 현상이 포함이 되지만 수학적인 계산과 과학적 현상이 들어가지 않아도 미술 작품을 만들수 있기에 나는 미술이 너무 좋다

다음은 비속어를 사용한것이다나는 감정이 욱 하지 않는이상 욕을 잘 쓰지는 않는다 그래도 욕을 한적이 있기에 나를 차음본 사람이 내가 욕하는걸 둘었을따 첫인상 이발로 좋지 않을것같아서 최대한 비속어와 욕울 사용하지 않을려고 노력중이다.

다음은 나의 취미를 더 찾아보는 것이다.나는 한가지만 하다보면 쉽게 질려수 포기하는 경우가 많은대 취미가 많으면 한가지를 하다가 질리면 다른 취미를 즐기고 또 그취미가

질리면 다른취미를 즐길수 있어좋을것같다.

　마지막 3번째는 나의 반려묘인 마루와 호두에게 더 잘해주고 간식도 잘 주고 놀아주는것 이다.처음 마루를 구조해왔을따 엄마와 약속을 했다.하지만 점점시간이 갈수론 마루를 잘 관리해주지도 않고 핑계를 댜면서 엄마가 결국엔 마루와 호두를 관리하게되었다.그래서 간식도 잘 주지 않고 놀아주지도 않아서 호두와 마루가 속상할것같다는 생각이 이 글을 쓰면서 들었다. 특히 동물들은 사람보다 수명이 짧은데 너무미안하다 그래서 앞으로 더 잘해주고 간식도 잘 주고 하면수 죽을때까지 행복하고 건강하고 즐겁게 지냈으면 좋겠다. 지금 물려서 생긴 흉터들이 내가 호두와 마루의 주인이었다.라는 표시가 되지 않을까 싶다.

　내가 죽우면 후회할것같은 것은 이렇게 3가지 이다. 이3가지 말고도 더 있지만 이 3가지가 가장 후회될것같다.

6학년 첫 현장체험 학습.

처음 4월 12일은 잡월드로 현장 체험학습을 가는 날이다 아침에 일어나자 못 할까봐 걱정이 되어서 채윤이에게 도닝콜을 6시 40분에 해달라고 부탁을 하였다. 다음날 너무 설레서 잠을 제대로 자지 못했다. 일어난 시간은 6시 10분정도 쯤에 "일어났다. 근데 너무 졸려서 베란다에 나가서 고양이와 선선한 바람을 맞으며 5분정도 놀 았다 너무 일찍 일어나서 할것이 없어서 심심했다. 그래서 의자에 앉아 친구들에게 톡을 했다. 그러다 보니 시간이 빨리 갔다 그래서 옷을 입고 밥을 먹을 시간이 없어서 헤드셋을 끼고 밖으로 뛰쳐나갔다.

나는 7시 40분까지 친구들과 아이아이에서 만나기로 하면서 아이아이에 도착했다. 그리 고 둘과 마시멜로 3개를 샀다. 그리고 교실에 도착을 했다 교실에 들어가니 주영빈이 하트모양 썬글라스를 쓰 고 있어서 친구들이 너도 나도 써보겠다고 했다. 그때 선생님이 들어오셨는데 다급한 목소리로 빨리앉아 보라고 하셨다. 그래서 우리는 빠르게 앉았다 근데 3명이 오지 않았다. 그래서 4분정도 기다리니 2명이 왔다. 근데 1명은 오지 않았다. 그래서 어쩔수 없이 줄을 섰는데 1명이 그제서야 왔다. 그래서 얼른 내려가서 버스에 탔다. 근데 심심해서 노래를 들었다. 근데 지루해서 친구들이 하는 얘기를 같이 들었다. 그러다보니 벌써 도착을 했다.

레스토랑에는 의외로 우리학교 친구들이 많았다. 그래서 나는 우리학교 친구와 짝을 했다. 음식에 쓰이는 고기 등등 육류들의 품질을 보는 방법을 배웠다. 설명을 다 들은다음 패드로도 퀴즈를 끌었다. 키자니아와 비슷할줄 알았는데 전혀 다른 느낌이었다. 다음으로는 직접 요리를 하는 거였는데 우리는 바베큐폭찹을 만들었다. 첫번째로 야채들을 썰고 고기간을 한다운 소스를 만들고 마지막에는 다같이 섞었다. 그리고 용기에 담아 2층으로 내려가 점심을 먹는데 참치 마요덮밥이 나왔는데 양도 많고 느끼해서 남겼다. 우리는 잡월드에 들어가보니 사람들이 굉장히 많고 건물이 굉장히 컸다. 첫번째로는 단체로 하는 것이 있었는데 그래 직업 O.x 퀴즈였다 문제를 풀고 카드로 쓰기도 했는데 별로 재미가 없었다. 첫번째 수업이 끝나고 나는 조와 같이 레스토랑에 갔다.

밥을 먹고 친구들을 따라가 미니스톱에 갔다. 근데 사람이 너무 많아서 3층으로 갔다. 그래서 앉아서 쉬고 있는데 시간이 거의 다 되서 2층으로 빨리 내려갔다. 그리고 바리스타를 체험하러 갔다. 바티스타를 하기전에 시간이 남아서 사진을 찍었다. 시간이 다 되서 길쭉한 탁자? 같은 곳에 앉아 수업을 듣고 실습을 했다. 나랑 시연이는 카페모카를 만들고 채윤이는 카라멜 마끼야또를 만들기로 했다. 첫번째로 초 코 시럽을 컵에 담았다. 그 다음은 에소프레소를 만든다. 에소프레소를 만들때는 첫번째로 원두를 갈고 컵 같은 곳에 원두를 갈아 에소프레소를 만들어 시럽이 든 컵에 에소프레소를 넣는다 마음은 우유, 우유경험2 & 생각, 느낌 거품 순으로 넣는다. 그리고 그 위에 시럽으로 그림을 그리는데 나는 고양이를 그렸다. 근데 좀 망했다. 체험이 끝나고 친구들과 모여 버스에 탔다. 나는 너무 피곤해서 내가 좋아하는 영화ost를 들으면서 잠에 들었는데 눈껌박하니 벌써 우리학교에 도착해 있었다 나는 얼른 내 했다. 나는 집에 와서 오늘 있었던 일을 다이야기

했다 나는 잡월드에 또 가보고 싶다라는 생각이 들었다.

공정

내가 생각하는 공정이란 누군가의 편을 들지 않고 공평하게 대우하는 것 이다.

예를 들어서 반 친구들에게 친구들에게 쿠키를 2개씩 나눠주는데 내가 친한친구들에게만 쿠키를 3개씩 준다거나 평소에 친하지 않은 친구들은 1개씩 주는 것은 누구나 공평하지 못하다고 생각할것이다. 그럼 공평하게 주기 위해서는 친구들에게 똑같이 친한친구든 친하지않은 친구든 똑같이 2개씩 주는 것이 공평하다.

그럼 공정은 무엇일까? 국어사전으로는 공정하고올바르게 행동하는 것 이라고 나온다. 내가생각하는 공정이란,편견과 차별없이 누군가에게 똑같이 대우하는 것이라고 생각한다. 국어사전에 나온 말과 비슷하지만 조금은 다르다. 공정하지 못한 일은 우리생활에서도 찾아 볼 수 있다. 예를 들면 2019년에 있었던 세네갈vs한국경기가 있었는데 이 경기를 하면서 세네갈 사람들이 반칙을 많이 썼다. 그래서 심판이 옐로카드를 많이 꺼냈다. 세네갈 사람들이

"왜 심판은 우리 한테만 경고를 주지?"라고 생각할때쯤 세네갈 선수들이 한국 골대 앞에서 공을 차는 곳에서 한국선수가 골라인을 밟지 않아서 심판에게 경고를 받았다.그 뒤로도

경고를 많이 받았다. 나는 이 심판을 공정의 왕 으로 생각한다. 이유는 축구를 하면서 잘못한 상황은 바로바로 짚어가면서 하나도 빠짐없이 공정하게 판단을 했다. 그 누구의 편도 들어주지 않고 공정하게 판단한 것이다.

이번에는 공정하지 못한 경기가있다.그 경기는 2022년도에 카타르 월드컵이다. 이 경기는 가나와 한국경기였다. 그 경기에서 공정하지 못했던 일은 마지막 페널티킥 에서 심판이 그냥 경기를 끝내 버렸다. 가나사람들한테는 좋은 일이었지만 한국 사람들은 분노를 참지 못했다. 그래서 벤투감독이 나와서 항의를 하는중 심판에게 레드카드를 받았다. 나도 이 경기를 보면서 너무 화가났다. 세상에는 이렇게 공평한 사람이 있고 공평하지 못한 사람도 있다.

나는 공평하게 판단하고 올바르게 생활해서 공정한 사람이 되려고 노력해야겠다.

꿈

나의 꿈은 3가지가 있다. 2가지가 동화작가 천문학자이다. 이 둘중에서 천문학자는 내가 가장 오래동안 품고있던 꿈이다. 그다음이 동화작가인데 나는 이 꿈을 다 이루어 낼수 있다. 고 생각 하다. 그렇게 생각한 이유는 천문학자가 되어 천문학자에 관한 동화를 만들 수도 있다고 생각하기 때문이다 느낌 첫번째는 천문 학자이다. 나는 어렸을 때 하늘과 우주에 관심이 별로 없었다. 근데 오 빠가 어느날 천문대 라는 곳을 가게 되었다. 이때도 나는 별로 관심이 없었다. 근데 시간이 점점 지나니까 천문대는 무엇을 하는 곳인지 궁금하기도 하고 재미있을 것같아 엄마를 따라가 보 있다. 엄마께 한문에 "엄마 천문대는 뭐하는 곳이야?" 라고 물어보았다. 그러더니 엄마가

"달이랑 별을 관측하는 곳이야"라고 대답해 주셨다. 나는 오빠가 천문대를 졸업 하고서 나도 다니고 싶어서 다니게 되었는데 수업을 들을 때 흥미를 느 끼게되어 도서관에서 책도 찾아보기도 해서 더 더욱 관심을 갖게 되었다.

둘째는 동화작가인데 나는 어렸을때 동화책을 좋아했었다. 예를 들면 헨젤과 그레텔, 아기돼지 삼형제 등등이 있다. 내가 가장 좋아하는 동화작가는 백희나 작가이다. 백희나 작가의

책의 공통점은 책에 나오는 캐릭터들이 모두 백희나 작가가 만든 것이다. 난 그녀에서 백희나 작가에게 빠져 버렸다. 그 뒤로 나는 동화작가가 되고싶다고 쭉 생각 했다. 그러다가 어느 날에는 도서관에 동생과 엄마와 같이 가게 되었다. 그리고 어린이 동화책이 있는곳에 가 보았는데 어린 친구들이 많이 있었다. 대부분 엄마와 같이 있었는데 아이들이 동화책을 보고 웃는 모습이 너무 예뻤었다.

내가 이 직업을 하기 위해서는 2가지가 꼭꼭꼭 필요하다고 생각한다.

1. 끈기.

끈기가 필요한 이유는 천문학자는 오래 관찰을 할때 끈가 필요하고 달려가는 친곳에 오래 앉아를 을 쓰고 그림을 그려야 하기 때 문이다.

2. 집중력

집중력이 필요한 이유는 천문학자는 집중을 하며 별과 믿다. 달 등등을 관찰을 하고 동호막는 잡음을하여 글을 쓰고 그림을 그리기 때문이다.

내가나의꿈을소개한이유는나에게는끈기와집중력이부족하기 때문이다그래서나중에는끈기가엄청난어른으로거듭날것이다 .

왕따가 사라지위해

우리는 무엇을 해야할까

우리 주변에는 정말 다양한 사람들이 존재한다. 근데 이중에서 피해자,가해자가 있을 수 있다. 특히 초,중,고에서 가장 많이 볼 수 있다고 생각한다. 그렇다면 이 연령층에서 피해자,가해자는 학교폭력을 했거나 당했다는것을 알수있다. 학교폭력은 폭력 뿐만이 아니라 왕따도 포함 된다. 그럼 왕따가 없어지기 위해서는 우리는 무엇을 할 수 있을 까?

첫째 왕따는 누군가 따돌리는 것을 말한다. 왕따는 친구들 사이에서 어울리지 못하는것이 대부분이라고 생각한다. 나는 이 왕따문제를 해결 하려면 서로가 서로에게 관심을가져야된다고 생각한다. 누군가 소외된다고 생각이 들면 먼저 다가가 관심을 주는것이 가장 좋다고 생각한다. 그리고 내가 친구를 소외시킨적은 없는가?내 주변에 소외된 친구는 없었을까? 라는 생각도 해보자 그럼 자기반성을 위해서 소외시킨 친구에게도 관심이 갈 것 이다. 소외는 의도적으로 시키는 것이 대부분이지만 의도를 가지지 않고도 소외가 될수 있기에 항상 친구를 잘 챙겨주자

두번째는 입장 바꾸어 생각하는것이다.입장바꾸어 생각하는것이 가장 빠르다고 느껴진다. 입장을 바꾸어

생각하면 소외당하는 친구의 감정,기준을 잘 알수있다. 내가 입장을 바꾸어 생각한다면 친구들과 어울리지 못하여 슬플것 같고 슬퍼도 위로해줄 친구가 없어 더더더 서러울것 같다. 자신이 만약 친구를 소외시키는것을 보면 자신도 그친구를 소외시키자 말고 먼저 다가가서 그 친구의 둘도없는 친구가 되어주자 소외된 친구도 사람이기에 감정을 느낄수 있다.

마지막으로는 자기반성 이다. 내가 친구를 소외시킨적은 없지 누군가를 의도적으로 혹은 일부로 따돌린적은 없는지 친구가 소외된것을 본적은 없는지 생각해보자. 자기도 알면서 친구를 소외시킨적은 없는지 생각해보자 속담중 가는말이 고와야 오는말이 곱다처럼 행동도 마찬가지이다.

그러므로 우리는 소외를 시키면 안된다. 이유를 물어본다면 우리는 같은 사람이고 민주주의 국가로써 인간의존엄성을 실현해야하기 때문이다.

우리가족

우리가족은 애완묘 2마리 포함 7이다. 우리가족의 구성은
엄마,아빠,오빠,나,동생,고양이 2마리가 있다. 우리가족의
서열정리를 하면 1위엄마,2위아빠,3위 오빠 4위나 5위동생
6위마루 동생 7위 호두 이다. (내 생각)

1번째로 서열 1위인 엄마이다. 엄마의 이름은 류화정이고 생신은 5월8일(어버이날)이다. 엄마는 아수라백작같다. 상황에 따라 모습이 달라지는것을 느낀다. 나는 그런 엄마를 이해하지 못 하겠다. 하지만 엄마와 함께한 즐거운 시간이 나빴던 시간보다 x100000000많아서 나는 엄마를 정말 정말 사랑한다. 그러나 엄마가 잔소리를 할때는 사랑하는 마음이 100%에서 10%가 깎인다.그래서 잔소리를 할 때 엄마를 사랑하는 마음은 100%중 90%이다. 나는 그만큼 엄마의 잔소리가 정말정말정말 싫다.

다음으로 서열2위인 아빠이다. 아빠의 생신은 6월11일 이다. 아빠는 원숭이를 닮았다. 그렇게 느낀 이유는 아빠는 재밌고 그리고 같이 있으면 행복해져서 나는 아빠가 정말 좋다. 그 다음은 서열이 3위인 나의 혈육 이다. 오빠의 생일은 1월23일이다. 오빠는 같이 있으면 싫은데 오빠가 없으면 같이 이야기하고 공감해주는 사람이 없어서 심심하다.

다음은 동생이다. 동생의 생일은 1월 26일로 오빠와 생일이 3일 차이밖에 안난다. 동생을 나와 나이차이가 8살 차이가난다. 그래서 내가 20살이면 동생은 12살밖에 되지 않는다. 그래서 좀 더 일찍 태어났으면 좋았을텐데 라고 생각을 자주 한다.

다음은 애완묘 마루이다. 마루는 삼색고양이 이다. 마루는 아픈 새끼 길고양이였다. 그래서 구조를 하고 집에와서 마루의 얼굴을 확인했을때 눈이 좋지 않았다. 마루는 호두가 오기 전까지는 사랑을 아주 많이 받았는데 호두가 오니 불만이 있는것같다.

다음은 호두이다. 호두는 마루와 다르게 품종 고양이다. 호두는 아빠를 가장 좋아한다. 호두는 특이하게 물로 세수를 한다. 그래서 얼굴이 항상 물로 젖어있다. 나는 그게 호두의 매력이라고 생각한다.

우리가족은 대 가족이다 우리 모두가 건강하고 행복했으면 좋겠다.

2023년 8월 19일

여름성경학교

오늘 교회에서 여름성경학교를 하는날이다. 그래서 갔다. 오늘 하루는 자고 내일 집에가는데 정말 재미있었을것 같다. 교회에 도착을 해서 레크레이션을 했는데 팀 구호는 도파민이고 이름은 해피바이러스이다 내가 아이디어를 냈지만 다시 생각해도 정말 잘한것 같다.레크레이션을 할때 우리가 인원수가 가장 적었다. 팀구호를 외치고 정답을 말하는거였는데 우리가 인원수가 가장 적어서 목소리가 안들렸다. 팀인원수밸런스가 안맞아서 우리가 불리한 게임이었다. 그래서 평소에재미있는게임이 정말 재미없었다. 특히 우리 팀에 협조를 안하는 친구가 있어서 더 짜증났다. 그리고 점심을 먹었다. 짜증이 나서 그런지 밥맛이 없어서 남겼다.

밥을 다먹고 예배를 드렸다. 그리고 공과를 끝낸뒤 저녁을 먹고 이번 여름 성경학교의 주제와 관련된 뮤지컬을 본뒤 부흥회를 했다. 부흥회를 마치고 친한 5학년 동생들과 잘 준비를 하였다. 근데 졸리지 않아서 아까 냉장고에 넣어놨던 음료수를 선생님들 몰래 가저왔다. 다행히 들키지 않았고

12시까지 서로서로 이야기하면서 웃고있는데 시간을 보고
너무 늦어서 과자들을 종이컵에 황급히 넣고 방 구석에
숨겼다. 그리고 불을 끄고 간발에 차이로 선생님이 들어오셨다
그때 우리는 다 바닥에 누워있었고 다행히 들키지 않았다.
선생님이 나가신뒤 우리는 엄청 웃었다. 그리고 잠에 들었는데
갑자기 에어컨에서 물이 나왔다 나는 엄청 놀라서 뛰쳐 나갔고
다른 애들은 막 웃었다. 물사태가 끝난뒤 우리는 다시
잠들었다.

오늘 여름성경학교는 저번 여름성경학교보다 재미있었다.
내일이 기대가 되는 하루였다.

23년 8월 11일

축 구

오늘 제천으로 오빠 축구시합을 보러갔다.다음날에
거의4년만에 만나는 친구를 만나기로 했는데 오빠축구를
보러가서 못만났다 나는 내 약속보다 오빠를 보러가는게

먼저라고 느껴져서 짜증과 속상함아 몰려 들었다 근데 축구를 막상 보니 재미있었다.

오빠가 있는팀이름이 구리부양FC인데 전반전에 부양이 한골을 넣었다. 그래서1:0이 되었다 그러다 전반전이 끝나고 잠시 휴식시간에 팀애서 경기를 뛰지 않는사람들이 관중석에 와서 경기를 보고있었다. 그중에 오빠가 있어서 오빠한테 가보려고 했다. 근대 땀냄새가 엄청나게 나서 다시 후퇴했다 오빠가 자는 숙소에 세탁기가 없어서 손빨래를 해서 더 그런것같다. 좀 더러웠다. 그리고 후반전이시작됬는데 엄마들이 응원좀 해보라고 했는데 팀중 한명이 힘빠지는 목소리로 응원을 했는데 너무 웃겼다 근데 상대팀이 골을 넣어서 1:1이 되어버렸다 근데 경기가 그렇게 끝났다. 아쉬웠다. 내일은 부양이 이겼으면 좋겠다.

2023년 7월 28일

바다

오늘 여행을 갔다. 목적지가 태안이였다. 퇴계원에서는 많이 멀어서 새벽6시에 출발하자고 아빠가 출발 전날에 말씀 하셨다. 그리고 우리는 6시가 조금 넘어서 차에 탔다. 근데 엄마가 준비가 늦어서 거의30분이 넘게 늦게출발했다. 그래서

원래 9~10시 까지 만나자고 같이 간 친구들 부모님들끼리
약속을 했는데11시30분에 도착했다. 항상 우리가마지막에
도착했다. 엄마말로는 우리가 도착하기 아주 멀었을때
친구들은 다 도착해서 바다에서 수영을 하고 있었다. 나는
그말을 들었을 때는 엄마를 원망했다.

우리가 도착을 하고 차에서 내리니 바다비린내가 났다 그리고
바다를 보니 친구들이 아직 있어서 수영복으로 갈아입고
바닷속으로 들어갔다. 근데 그 바다는 모래가 아닌 돌이였다.
그래서 양말과 신발을 신고 들어갔다. 바닷물이 생각보다
얕았다. 근데 더 들어가니 깊어서 구명조끼를 입고 들어갔다.
수영을 다하고 숙소에 들어와 씻었다. 어느새 해가 지고
있어서 배구를 했다. 아쉽게 위가 졌지만 그래도 재미있었다.
배구가 끝나고 우리는 피구를 했다. 피구도 우리가 졌다.
그래도 재미있었으면 된거다. 숙소에 들어가서내가 준비해온
인물퀴즈를 했다. 총 40문제였는데 인터넷때문에 준비하는

시간이 오래걸렸다. 마지막 문제까지 마무리 하니 분위기가 어느정도 올라갔다 하지만 몇몇이 아쉬워하는 친구들도 보였다. 이 기세를 타서 아이엠그라운드를 했는데 너무 재미있었다. 다음으로는 노래 맞추기 까지 했다. 노래맞추기는 내가 이겼다.

그리고 숙소1층에 냐려와서 점보도시락 라면을 먹었다. 언젠가 꼭 먹어보고 싶었는데 그게 오늘이였다. 근데 생각보다 라면이 빨리 없어졌다. 나는 종이컵으로 2컵밖에 먹지 못했는데 어떤친구는 종이컵으로7컵 먹었다고 했다. 좀 얄미웠지만 그래도 참았다. 밤이되고 어른들은 다 주무시고 계셨다. 우리는 새벽까지 마피아,무서운 이야기,등등 하고 3시가 좀 넘어서 잠에 들어버렸다. 1박2일로 가서 아쉬웠지만 그래도 하루를 알차게 보낸것 같다.

8월4일 날씨맑음

내 친구집은 파충류 박물관

오늘 친구집에 놀러갔다. 친구는 나랑 어린이집에서
만난친구이다. 친구와 친구 가족은 파충류에 관심이 많다
그래서 친구 집에는 3마리에 도마뱀과 거북이가 살고있다.

나는 친구집에 가서 도마뱀을 만져보았다. 그중에서 가장처음으로 친구집에온 도마뱀의 이름은 멍게이다. 멍게는 크리스피드게코이다 멍게는 꼬리가 통통하다 그래서 너무 귀엽다. 다음 도마뱀은 작아서 금방 사라질 것만 같이 작고 빠르다 게다가 점프까지할수있는 날쎈 친구이다. 이 도마뱀은 눈꺼풀이 없어서서 혀바닥으로 수시로 핥는다고 한다. 다음은 비어드드래곤이다. 비어드드래곤은 성체가 되면 학교 책상보다 좀더 큰다고 했다. 그래서 얼마나 커질지 예상이 안간다.

도마뱀들을 다 보고 친구집에있는 스티커 프린팅기계로 놀았다. 친구의 형을 놀리면서 서로서로 재미있게 놀다가 헤어졌다 다음에도 친구집에가서 재미있게 놀고 싶다.

23년5월27일 날씨:비

개구리잡기

나는 26일애 포천 레이크 문으로 캠핑을 갔다. 근데 비가 왔다.잠깐오는 소나기도 아니고 계속왔다.한사도 쉴틈 없이 왔다. 그래서 할것이 별로 없었다. 수영장이 있었는데 물이 너무너무 차가웠다. 들어가기 전에는 땀이 났는데 들어가니 온 몸이 얼어붙을것 같았다. 비도와서 더 추웠다. 그래서 다시

나와서 옷을 갈아입고 의자에앉아있는데 같이간 오빠가 개구리를 잡아왔다. 이모들은 다 기겁을 했는데 나는 신기해서 가만히 보고 있었다. 생각해보니 근처에 계곡도 있고 비도 오고 있어서 개구리가 많이 돌아다녔다. 그래서 나는 언니 오빠와 함께 비를맞으며 개구리들을 찾아다녔다. 근데 개구리들이 다 무당개구리밖에 없었다. 내가 알기로는 무당 개구리에게 독이 있는것으로 일고있는대 같이간 오빠가 덕이 없다고 해서 안심하고 잡았다. 친오빠가 독이 없다고 하면 절대 안믿었을 텐데 이 오빠의 말을 믿은 이유는 같이간 오빠가 파충류,양서류,곤충,동물등등..잘 알고있가 때문이다. 아무생각 없이 잡다 보니 벌써4마리나 잡았다. 그래서 계곡에 풀어주고 왔다. 그리고 다시 개구리를 잡으러 갔다. 개구리를 잡은 통에 물을 좀 채워 줬는데 5분도 안지나서 물이 다 사라져 버렸다. 그 이유는 개구리들은 피부로 물을 흡수했기 때문이다. 통에는 8마리에 개구리가 있었으니 그럴만도 하다.

그래서 다시 계곡에 풀어주고 오는데 청개구리를 만났다.
청개구리는 말로 표현하지 못할정도로 귀여웠다. 창개구리는
아까 잡은 무당 개구리와 달리 점프룰 잘하고 몸집도 작았다.
그래서 더 귀여운것 같았다. 청개구리는 2마리 밖애 보지 못
했다그래서 아쉬웠다. 개구리를 잡을때는 우리의 평상시
체온보다 더 낮아야한다. 왜냐하면 개구리들은 우리의 몸보다
온도가 낮아서이다. 그래서 잡을 때는 손에물을 묻혀서 잡아야
한다. 그리고 잡는 부위는 뒷다리를 잡아야 한다 왜냐하면
몸을 잡으면 장기가 파열 되기 때문이다 나는 개구리가 좋다
왜냐하면 개굴개굴거리는 소리도 좋고 생긴것도 귀엽기
때문이다. 다음에 또 개구리를 잡고싶다.

나 홀로 집에

우리집에 나만 남아있다.아침 점심 저녁을 차려주는 엄마가
사라지고 아침 일찍 회사에 가셔서 돈벌어오시는 아빠도
사라지고 오빠와 동생도 사라졌다. 이제 집안일은
내가해야한다. 빨레,설거지,요리,청소기 돌리기등 모든
집안일을 내가 해야한다. 일단 먼저 빨래를 해야겠다. 먼저

세탁기에 빨랫거리들을 넣고 문을 닫는다. 그리고 세제를 넣고 작동 버튼을 누른다. 버튼을 누름과 동시에 문이 잠기는 소리가 났다. 세탁기가 돌아가는 동안 요리를 해야한다. 메뉴는 비빔밥이다. 비빔밥은 집에있는 나물들과 고추장만 넣어도 맛있는 음식이다. 냉장고에는 콩나물,고사리,시금치,도라지가 남아있었다. 이걸로 비빔밥을 만들어야겠다. 그릇에 밥과 고추장,나물을 넣고 마지막으로 참기름을 부어주었다. 그리고 먹어보았는데 천상에 맛이다. 비빔밥을 만든 사람은 정말 대단한것같다.

비빔밥을 다 먹으니 세탁기가 끝난 소리가 났다. 그래서 세탁기에 있는 빨래들을 건조기에 옮겼다. 그리고 청소기를 돌렸다.

청소기를 돌리니 고양이들이 깜짝 놀라서 우다다다다다 뛰어갔다. 청소기를 돌리니 지친다. 엄마와 아빠는 이걸 매일매일 하신다는게 정말 대단하시다는 생각이 들었다.

시간이 벌써3시가 되고있다. 별로 한게 없는것 같은데 벌써 3시라니 배는 안고픈데 냉장고에는 음식이 다 떨어져 나가서 마트에 갔다. 마트에서 달걀,우유,라면을 샀다. 나한테 있는 돈은 꼴랑 15000원 이걸로 살수있을 지는 모르겠다. 다행이 우유와 달걀이 할인 하고있어서 아슬아슬하게 계산했다. 집에 돌아와서 집에 있는 돈들을 다 모았다. 모아보니 5만원이 조금 안 됐다. 그래서 카드에 충전했다. 그리고 저녁을 만들려고 하는데 배가 고프지 않아서 그냥 TV를 봤다. 재미있는 채널을 하지 않아서 그냥 핸드폰을 봤다. 역시 핸드폰이 최고인것같다.

다음날 눈을 떠보니 가족들이 있었다. 꿈같지는 않은데 꿈같기도해서 카드잔액을 보았는데 5만원이 그대로 있었다. 가족돈을 모아서 넣어놨는데... 어떡하지?

2023년 9월 22일 금요일

낄낄껄껄 즐거운 사회시간

오늘은 사회시간에 나라를 조사 해서 모둠친구들과 함께 나라

소개서를쓰는것을 하였다. 어제 나라를 정하고 계획서를 다

짰다. 우리가 조사할 나라는 일본이였다. 후보에는 프랑스밖에

없었고 다수결로 손을 들었을때는 3:3으로 동점이되어서

가위바위 보를 했는데 프랑스가 지고 일본이 이겼다. 사실

일본은 겹치는 모두이 많아서 하기 싫었지만 우리가 져서 어쩔수 없었다. 다음날 우리는5교시에 캔바라는 앱을 사용해서 많들었다. 우리는 의식주,관광지,기후,풍습을 썼는데 우리모둠원중 자격증을 딴 사람이 2명이나 있어서 그런지 퀄리티가 높았다. 몇몇친구들이 요약을하지 않고 복사해서 붙이는 바람에 글이 길어져버렸다. 그래서 우리가 고쳐주고 줄이라고 해서 글이 잘 요약되었다. 바탕 색도 바꾸고 스티커로 꾸며주어서 더 만족스러웠다. 그렇게 잘되고있던중 나는 심심해서 친구의 프레젠테이션에 장난을 쳤다. 사진을 지우고 다시 복구하고 글도 지우고 친구도 웃으면서

"이게 뭐야!ㅋㅋㅋㅋ"

나는 여기서 더 장난을 치면 친구의 기분이 안 좋아질 것 같아서 여기서 장난을 멈췄다. 장난도 적당히 해야 장난이지 친구가 하지 말라고 했는데도 계속 하면 그건 장난이 아니다.

그렇게 잘하고 잘 마무리를 하고 링크를 밴드에 올렸다. 참

만족스러웠다. 내가 만들어본 ppt중 가장 잘한 ppt였다.

2023년 10월 4일 수요일

초등학교 마지막 현장 체험학습

오늘 6학년 마지막 현장체험학습을 갔다. 너무 기대가 되었다. 현장체험학습 장소는 롯데월드였다. 노란버스법 때문에 많은 학교의 현장체험학습계획이 취소 되었다. 하지만 우리학교는 노란버스를 구했다. 우리도 현장체험학습이 취소괴는줄 알았는데 다행히도 교장선생님이 버스를 구해주셔서 갈수있게 되었다.

현장체험학습당일이 되었는데 나는 8시에 일어나 버렸다. 나는 후다닥 씻고 크로스백에 무선이어폰,물,돈을 챙겨 나갔다. 도착했을땐 나 포함 3명이 오지 않았다. 모든 시선이 나에게로 쏠렸고 나는 당황스러워서 얼른 자리에 앉았다. tv에 영화가 틀어져있어서 나는 영화를 보았다. 드디어 친구들이 다왔다 그리고 출발을 했을땐 9시30분정도 됐다. 노란버스는 현장체험학습때 타고다니던 관광버스를 그냥 노란색으로 칠한것과 비슷했다. 버스안은 관광버스와 다를것 없었다. 우리는 도착을 하자 마자 범퍼카를 탔다. 후진을 할수가 없어서 불편했다. 그다음으로 번지 드롭탔는데 내려올때 장기가 뒤섞이는 기분이다. 하지만 엄청 재밌었다. 다음으로는 회전그네를 탔는데 계속 뚜둑뚜두두둑 소리가 났다. 나는 이 그네가 중간에 끊겨서 날아갈까봐 걱정되었다. 다행히

날아가지는 않았다. 이 회전그네는 내가 어렸을때부터 가장 좋아하는 놀이기구중 하나였였는데 오랜만에 타니 더더욱 재밌었다.

　다음으로는 신밧드의 모험을 타러갔다. 롯데월드에 사람들이 별로 없어서 거의 바로 들어갔다. 그다음 파라오의 분노를 탔는데 그냥 신밧드 물없는 버전이랑 같았다. 그다음 모로레이를 탔는데 롯데월드에 와서 처음 타봤다. 그래서 너무 재밌었다. 롯데월드를 한바퀴 도는거여서 더더 재밌었다. 모둠 친구한명은 모노레일도 무서워했다. 모노레일까지 다 타고난뒤 퍼레이드를 보았다. 퍼레이드를 하는 사람들은 거의 다 외국인들이였다. 퍼레이드가 끝난뒤 반 친구들과 모여 집에가는데 비가 막 쏟아졌다. 그칠것같지가 않아서 엄마에게 전화를 했더니 엄마도 수업을하고 막오는길 이여서 엄마를 만나지 못했다. 그래서 친구들과 놀기로했던 약속이 취소 되었고 중간에 엄마를 만나서 차를 타고 왔다.

초등학교 마지막 현장체험학습이여서 아쉬웠다. 다시는 돌아오지 않아서 신나게 놀고왔지만 그래도 아쉬움은 조금 남아있었다.

10월 11일 수요일

연습한것이 물거품이된 마림바 연주회

오늘 구리아트홀에서 하는 연주회에 참가하게 되었다.

우리학교는 마림바부가있는데 타악기와

마림바,팀파니,비브라폰 등등여러가지 악기가 어우러져

아름답고 웅장한 소리를 만들수있다. 오늘 우리가 연주할곡은 '브라질리언 스트릿댄서'이다. 나는 여기에서 팀파니를 선택했다. 이유는 5학년때 이 연주회에 참석했던적이있는데 그때는'아프리카 심포니'라는 곡을 연주했다. 이번곡과 저번에 했던 곡 둘다 웅장한 음악이여서 팀파니가 꼭 들어가는데 5학년때 팀파니를 너무 해보고싶었다. 나는 웅장한 음악이라면 팀파니가 꼭 생각난다. 팀파니는 북의 종류중 유일하게 음을 나타낼수있는 악기이다. 그래서 마음대로 음을 조절할수있다.

음악회는 2시부터 시작 이어서 학교에서 급식을 다 먹고 이동을 하는 식으로 하기로했다. 5학년때와 다를것 없었다. 그전에 악기가 10시에 이동이 되서 아침에 일찍 모여서 연습을 2번정도 더 하기로 했다. 마림바연습실에 40분쯤 다 보여서 연습을 했다. 근데 너무너무 잘맞았다. 내가 들었을때는 완전 잘맞았다. 오늘 따라 팀파니 튜닝도 잘되어서 오늘 음악회는 완벽할것같았다. 연습을 다하고 교실로 들어가 수업을 들었다. 그리고 급식을 다 먹고 특성화실로 갔다. 거기서 옷을 입고 타이를 선생님이 매 주셨다.그리고 출발했다. 우리는 다 버스에 탔다. 그리고 친구와 이야기를 하다 보니 벌써 도착을 했다. 도착을 하고 음악회가 시작이 되었다. 우리 순서는 4번째였다. 그래서 시작을 하고 2번째 팀이 끝날때쯤 우리는 무대 뒤로가서 준비를 했다. 다음이 우리차례가 되자 나는 너무 떨렸다. 틀릴까봐 걱정이 되고 그냥 너무 떨렸다. 무대위로 올라가준비를 했다. 내가 마지막으로 들어갔다. 다음 말렛(팀파니 채)를 찾고있는데 원래 오른쪽에 있어야 할게 왼쪽에있었다. 그럼 왼쪽에있어야할팀파니가 오른쪽에 있고 오른쪽에 있어야 할 팀파니가 왼쪽에 있었다. 나는 너무 당황스러웠다. 그래서 어쩔줄 몰랐는데 이건 말해야할것같아 선생님한테 달려가서 말을했다. 나는 선생님이 팀파니 위치를 바꿔주실때까지

기달렸다. 이번곡은 팀파니의 음을 바꿔가면서 해야하는 곡이라서 팀파니의 위치가 바뀌면 안된다 그냥 안되는게 아니라 절대 절대 바뀌면 안된다. 팀파니의 위치를 재조정 하고 시작을 했다.

"두두두두두" 드디어 시작됐다. 나는 떨리는 마음으로 지금까지 연습했던것을 뽐내는 시간이다. 내가 나오는 구간이다. 나는 지휘자선생님께 집중하면서 팀파니를 쳤다.

"빰빠빰밤 어라…?이소리가 아닌데 뭔가 이상한데?"

 진짜 5개월이 넘게 피눈물이 나도록 연습했는데 이렇게 될줄은 몰랐다. 나는 너무 억울했다.

나는 내가 집에갈때까지 뭐가 아무것도 들리지도안고 기억에 남는게 하나도 없다. 다시는 이런기회가 없을거라고 생각하니 너무 억울했.다. 너무 억울하고 슬픈 하루였다

통일결정

20xx년 x년 xx일

제목:드디어 통일이구나

나는 요즘 뉴스에 관심있다. 왜냐하면 요즘 통일에 관한이야기로 대한민국이 떠들석하다. 그래서 혹시나해서 요즘은 뉴스를 챙겨보고있다. 하지만 뉴스에는 통일얘기는 커녕 통일에 통자도 나오지 않는다 대체누가 통일얘기를 꺼내서 대한민국 국민전체를 혼란에 빠뜨리게 하는지.. 나는 오늘도 학교에 갔다왔다. 학교에 갔다와서 집에서 쉬고있다가

학원에 갔다. 학원에 너무 가기 싫었지만 뭐 가야되니까 가는거겠지 나는 아무생각없이 걷고걷다가 학원에 도착했다. 도착하니 시간은 6시 끝나는 시간은 7시30분 또 끝나면 영어학원에 가야한다. 뭐 학원2개는 거뜬하지 나는 수학학원이 끝나고 시계를 보고 깜짝놀랐다. 영어학원에 7시50분까지 가야하는데 8시였다. 늦으면 단어를 2배로 더 써오고 외워야하는데 큰일이다. 나는 수학학원에서 바로 뛰쳐나와 죽을힘을 다해 뛰었다. 버스는 이미 출발했고 다시오려면 15분은 더 기다려야한다. 아무리 늦었다고해도 버스가 언제올지도 정확하게모르고 언제도착할지도 모르니 그냥 뛰어가는게 더 빠르다. 뛸때 아 망했다. 보다는 아 나 왜뛰고있지 라는 생각밖에 들지 않는다. 영어학원에 도착하자마자 문을 조용히 열고 몸을 최대한 낮춘뒤 살금살금 들어갔다. 하지만 선생님은 다 알고계실것이다. 내가 늦었다는것을 왜냐하면 선생님은 항상 수업 시작전에 출석을 부르시기 때문이다. 내 베프는 나랑 같은 영어학원을 다니는데 나랑 쿵짝이 잘맞아서 내가 3분정도 늦는다고하면 선생님이 출석을 부르실때 자기의 겉옷을 벗어 내자리위에 올려놓고 시연이 화장실갔어요!라고 말해주곤한다. 하지만 오늘은 말해주지 말라고했다. 오늘 20분 이나 늦었는데 화장실갔다고하면...오해가 생길지도 모르니까

어찌저찌 영어학원이 끝나고 나는 집에 가기위해 버스를 기다리는데 버스로 내 집까지는 20분정도 걸린다. 나는 걷는걸 너무 좋아해서 걸어갈때도 있지만 나는 오늘 뛰어오느라 힘을 다써서 그냥 버스를 타고 갔다. 집에 도착했다. 원래 집에 도착하면 엄마가 반겨주는데 오늘은 엄마가 tv앞에서 집중하고있는채로 손을 모으고있었다. 나는 뭔가 하고 tv를 봤는데 뉴스에서 통일을 한다고 중계를 하고있었다. 나는 엄마옆에 앉아서 나도 같이 집중해서 보았다.

밖에서 환호성이 들렸다. 나도 엄마와 함께 환호성을 질렀다.

드디어 통일이구나 내일이면 휴전선이 없어질것이고 기차를

타고 여행하는사람 많아지겠지 나는 너무 기뻤다. 영광의

오늘이다. 내년에는 이날이 통일 기념에 날이라고 써있겠지

나는 너무 기뻤다 내일 학교에서는 무슨일이 있을까 앞으로가

너무 기대된다.

작가의 말

내가 6학년에 책을 낸다는것은 정말 대단하면서도 신기한일이다. 1년동안 글쓰기를 하면서 나는 이 글쓰기를 왜 하는지 몰랐었다. 하지만 이젠 알게되었다. 이 책을 출판하기위해도있지만 이 책을 출판하기위해 내가 달려온 길이다. 나는 지금에 내가 너무 대단하다고 생각한다. 1년동안 열심히 글쓰기를 하면서 그 글의 주제에 대해 깊게 생각해보기도하고 내 꿈이 동화작가인데 여기서 글을 어떻게 써야하는지,어떻게 출판하는지도 잘 알 수 있어서 정말 의미있는 것 이라고 생각한다.

또 이 책을 만드는 과정에서 도와주신 선생님께 감사드린다. 내가 책을 만들면서 힘든부분을 선생님께서 알려주셨다. 선생님이 도와주시지 않으셨다면 나는 이 책을 만드는데 어려움을 겪었을것 이다.

그리고 부모님께도 감사하다. 내가 책을 만들때 부크크라는 앱을 깔때 어려움을 겪었다. 하지만 부모님께서도 친절하게 알려주셔서 이 책을 잘 마무리 하게 되었다. 나는 이 책을 만들면서 도움을 받은 친구들,선생님,부모님께 감사를 표한다.